Camus Hérodote Léon Tolstoï Boris Vian Pape Jean Paul II Lao-Tseu Nelson Mande
Jean XXIII Jean Jaurès Umberto Eco John Fitzgerald Kennedy Kofi A. Annan Albe
n Pablo Picasso Albert Schweitzer Anne Fran...   aint Franco
e Noa Jean Giono Louis Aragon Lech Wa   eresa Ma
King Mahatma Gandhi Bernard-Henri Lév   Peres Jam
ki Victor Hugo Haïlé Sélassié Ier Gianni Ro   stide Bria
ne de Saint-Exupéry Paulo Freire Benjamin Fra   Jean-Jacques Goldman Je
d Charles Aznavour Louis Aragon Ytzhak Rabin John Lennon Tahar Ben Jelloun Ju
a Dwight D. Eisenhower XIVe Dalaï Lama Thomas Jefferson Romain Rolland Albe
s Hérodote Léon Tolstoï Boris Vian Pape Jean Paul II Lao-Tseu Nelson Mandela Pa
XXIII Jean Jaurès Umberto Eco John Fitzgerald Kennedy Kofi A. Annan Albert Einste
Picasso Albert Schweitzer Anne Frank Abbé Pierre Jimmy Carter Saint François d'Ass
an Giono Louis Aragon Lech Walesa Charlie Chaplin Mère Teresa Martin Luther Kin
ma Gandhi Bernard-Henri Lévy Georges Brassens Shimon Peres James Orbinski Vict
Haïlé Sélassié Ier Gianni Rodari Charles Baudelaire Aristide Briand Antoine de Sai
y Paulo Freire Benjamin Franklin Érasme Jean-Jacques Goldman Jean Rostand Char
our Louis Aragon Ytzhak Rabin John Lennon Tahar Ben Jelloun Juan Somavia Dwig
enhower XIVe Dalaï Lama Thomas Jefferson Romain Rolland Albert Camus Hérodo
olstoï Boris Vian Pape Jean Paul II Lao-Tseu Nelson Mandela Pape Jean XXIII Jean Jau
rto Eco John Fitzgerald Kennedy Kofi A. Annan Albert Einstein Pablo Picasso Albe
itzer Anne Frank Abbé Pierre Jimmy Carter Saint François d'Assise Noa Jean Gion
Aragon Lech Walesa Charlie Chaplin Mère Teresa Martin Luther King Mahatma Gand
d-Henri Lévy Georges Brassens Shimon Peres James Orbinski Victor Hugo Ha
é Ier Gianni Rodari Charles Baudelaire Aristide Briand Antoine de Saint-Exupéry Pau
Benjamin Franklin Érasme Jean-Jacques Goldman Jean Rostand Charles Aznavo
Aragon Ytzhak Rabin John Lennon Tahar Ben Jelloun Juan Somavia Dwight
ower XIVe Dalaï Lama Thomas Jefferson Romain Rolland Albert Camus Hérodote Le
Boris Vian Pape Jean Paul II Lao-Tseu Nelson Mandela Pape Jean XXIII Jean Jau
to Eco John Fitzgerald Kennedy Kofi A. Annan Albert Einstein Pablo Picasso Alb
itzer Anne Frank Abbé Pierre Jimmy Carter Saint François d'Assise Noa Jean

Tous nos remerciements aux Éditions Fabbri Editori,
à Nathalie Abdelkader pour ses précieuses recherches
et à Anna Buresi pour ses traductions.

www.editions.flammarion.com

© ÉDITIONS FLAMMARION, 2004
ISBN : 2-08162595-4

illustrations de
Ronan Badel, **Frédéric Bénaglia** et **Olivier Tallec**

LE LIVRE DE LA PAIX

Flammarion

À une époque où la guerre est plus que présente
dans l'actualité, les esprits, les débats…
À une époque où des hommes et des femmes se battent
pour la paix, et font heureusement grandir l'espoir…
Cet ouvrage réunit des citations de personnalités du monde entier,
de tous horizons, d'hier et d'aujourd'hui.

Afin de faire partager des idées et des rêves…
Afin de défendre les droits de l'homme, la solidarité et la paix.

DÉCLARATION UNIVERSELLE DES DROITS DE L'HOMME, ARTICLE 1.
Proclamation de l'Assemblée générale des Nations unies du 10 décembre 1948.

Tous les êtres humains naissent libres et égaux en dignité et en droits.

Ils sont doués de raison
et de conscience et doivent
agir les uns envers les autres
dans un esprit de fraternité."

Si tu désires la paix, cultive la justice."

JUAN SOMAVIA (né en 1941)
Directeur général du Bureau international du travail
et fondateur de la Commission sud-américaine pour la paix.

> Nous considérons cette terre convulsée en proclamant notre ferme décision de bâtir la paix et la justice dans un monde où régnera la loi morale. "

DWIGHT D. EISENHOWER (1890-1969)
Général américain et trente-quatrième président des États-Unis d'Amérique.

"La paix entre les nations était la plus importante de mes pensées."

TENZIN GYATSO, XIVᵉ DALAÏ-LAMA (né en 1935)
Le dalaï-lama est le plus haut chef spirituel du bouddhisme tibétain.
Dalaï-lama est un titre mongol qui veut dire « océan de sagesse ».

> La paix a donc été notre principe, la paix est notre intérêt et la paix a conservé au monde cette unique pousse de gouvernement libre et raisonnable. "

THOMAS JEFFERSON (1743-1826)
Troisième président des États-Unis d'Amérique et principal auteur de la Déclaration d'indépendance du 4 juillet 1776.

Nous sommes venus, sous cette bannière
– une armée des hommes et des femmes de toute la terre –
pour déclarer, pour imposer la paix au monde."

ROMAIN ROLLAND (1866-1944)
Professeur et écrivain français, il fut toute sa vie un grand pacifiste.

"Devant les perspectives terrifiantes qui s'ouvrent à l'humanité, nous apercevons encore mieux que la paix est le seul combat qui vaille d'être mené."

ALBERT CAMUS (1913-1960)
Journaliste et écrivain français. Prix Nobel de littérature 1957.

17

> Personne n'est assez insensé pour préférer la guerre à la paix…"

HÉRODOTE (484-420 av. J.-C.)
Historien grec, surnommé le « Père de l'histoire ». Il entreprit une vaste enquête
sur les relations entre les Grecs et les Perses afin d'expliquer les guerres.

La guerre est un acte contraire à la raison humaine."

LÉON TOLSTOÏ (1828-1910)
Romancier, conteur et auteur dramatique russe.

19

" Monsieur le Président
Je vous fais une lettre
Que vous lirez peut-être
Si vous avez le temps
Je viens de recevoir
Mes papiers militaires
Pour partir à la guerre
Avant mercredi soir
Monsieur le Président
Je ne veux pas la faire
Je ne suis pas sur terre
Pour tuer des pauvres gens…**"**

BORIS VIAN (1920-1959)
Écrivain français, ingénieur, poète, chanteur, musicien.
Sa chanson la plus célèbre fut « Le déserteur », chanson pacifiste
écrite contre la guerre d'Indochine (en 1954).

" Avec la guerre, c'est l'humanité qui perd. **"**

PAPE JEAN PAUL II (né en 1920)
Homme d'Église d'origine polonaise
qui fut élu pape en 1978.

x

22

Celui qui se réjouit de sa victoire
prend plaisir à tuer les hommes.
Celui qui prend plaisir à tuer les hommes
ne peut jamais réaliser son idéal dans le monde.
[…]
Le massacre des hommes, il convient de le pleurer
avec chagrin et tristesse.
La victoire dans une bataille, il convient de la traiter
selon les rites funèbres.**

LAO-TSEU (VIe siècle av. J.-C.)
Sage chinois, archiviste à la Cour impériale et philosophe, fondateur du taoïsme.
On sait peu de choses de cet homme, parfois placé dans le domaine du mythe.

Nous sommes tous appelés à défiler ensemble
pour parcourir les derniers mètres qui nous séparent de la liberté. **"**

NELSON MANDELA (né en 1918)
Politicien et avocat sud-africain, il a partagé le prix Nobel de la paix en 1993
avec le président sud-africain F. W. de Klerk.

Les éventuels conflits entre les peuples ne doivent pas être réglés par le recours aux armes, mais par la négociation. "

PAPE JEAN XXIII (1881-1963)
Homme d'Église italien qui fut élu pape en 1958.

Comment fonder la paix sur le droit, et rendre à tous les peuples la libre disposition d'eux-mêmes sans provoquer de nouveaux conflits ? c'est le secret de l'avenir."

JEAN JAURÈS (1859-1914)
Professeur de philosophie et homme politique français.

« Parce que l'an 2000 doit être un nouveau départ, l'occasion de transformer – ensemble – la culture de la guerre et de la violence en une culture de la paix et de la non-violence. »

A. PEREZ ESQUIVEL, M. CORRIGAN MAGUIRE, XIVᴱ DALAÏ-LAMA, R. MENCHU TUM, J. RAMOS HORTA, M. S. GORBATCHEV, J. ROTBLAT, D. TREMBLE, E. WIESEL, N. BORLAUG, J. HUME, S. PERES, D. M. TUTU, J. WILLIAMS, MGR C. F. XIMENES BELO, O. ARIAS SANCHEZ, K. DAE JUNG, R. LEVI-MONTALCINI
Prix Nobel de la paix.

Faisons la paix entre nous deux [...], cela ne résoudra pas les problèmes du monde mais cela prouvera qu'une négociation est encore possible.

UMBERTO ECO (né en 1932)
Écrivain et sémiologue italien.

Il n'est jamais trop tôt pour essayer, jamais trop tard
pour parler… pour commencer la recherche de la paix.
Pour que, ensemble, nous explorions les questions
qui nous unissent plutôt que de débattre de celles
qui nous divisent ; pour que nous explorions ensemble
les étoiles, conquérions ensemble les déserts, triomphions
ensemble des maladies, scrutions ensemble la profondeur
des océans et encouragions ensemble les arts
et le commerce."

JOHN FITZGERALD KENNEDY (1917-1963)
Président des États-Unis d'Amérique de 1960 à 1963.

La paix véritable
est beaucoup plus

KOFI ATTA ANNAN (né en 1938)
Secrétaire général de l'Organisation des Nations unies (ONU) depuis 1997.
Prix Nobel de la paix 2001.

que l'absence de guerre. "

Souvenez-vous
de votre humanité
et oubliez le reste.
Si vous parvenez à le faire,
la route d'un nouveau paradis
est ouverte.**

ALBERT EINSTEIN (1879-1955)
Physicien et chercheur d'origine allemande.

PICASSO :

« Je me demande ce que peuvent faire les gens en temps de paix… »

FRANÇOISE GILOT :

« En temps de paix tout est possible. Un enfant pourrait labourer la mer. »

FRANÇOISE GILOT ET PABLO PICASSO (1881-1973)
Picasso, peintre et sculpteur espagnol, s'est beaucoup investi pour défendre la paix.

En dépit de tout,
je garde la conviction que l'amour,
la paix, la douceur et la bonté
sont la force qui est au-dessus
de tout pouvoir. "

ALBERT SCHWEITZER (1875-1965)
Théologien, philosophe, musicien et médecin missionnaire français.
Prix Nobel de la paix 1952.

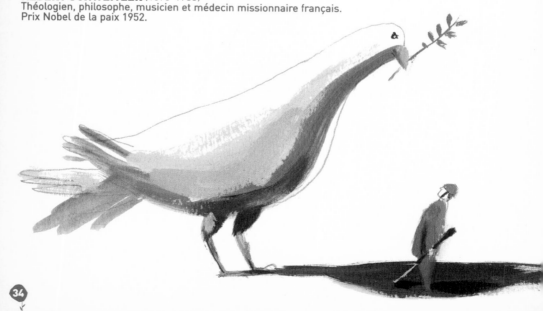

Je vois comment le monde se transforme lentement en un désert,

j'entends plus fort, toujours plus fort, le grondement du tonnerre

qui approche et nous tuera, nous aussi, je ressens la souffrance

des millions de personnes et pourtant, quand je regarde le ciel,

je pense que tout finira par s'arranger, que cette brutalité aura une fin, que le calme et la paix reviendront régner sur le monde. En attendant, je dois garder mes pensées à l'abri, qui sait, peut-être trouveront-elles une application dans les temps à venir !"

ANNE FRANK (1929-1945)
Adolescente juive allemande qui écrivit, pendant l'Occupation,
un célèbre journal intime, traduit en soixante langues.

Tant qu'il existera la misère, aussi longtemps que régnera l'exclusion, nous ne connaîtrons ni la paix de l'âme, ni la paix, ni la joie du cœur. **"**

ABBÉ PIERRE (né en 1912)
Homme d'Église qui se consacre à l'humanitaire, fondateur de l'association laïque Emmaüs.
Prix Nobel de la paix 1989.

Vous ne pouvez pas avoir la paix sans les Droits de l'homme,
sans la défense de l'environnement et sans la lutte contre la souffrance."

JIMMY CARTER (né en 1924)
Trente-neuvième président des États-Unis d'Amérique. Prix Nobel de la paix 2002.

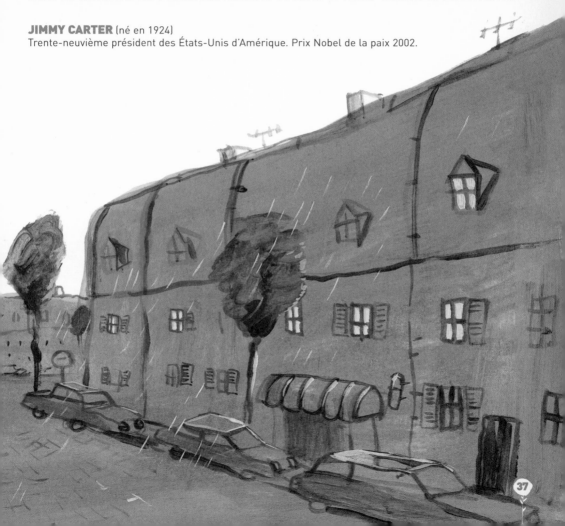

"

Les États parties conviennent que l'éducation de l'enfant doit viser à : […] préparer l'enfant à assumer les responsabilités de la vie dans une société libre, dans un esprit de compréhension, de paix, de tolérance, d'égalité entre les sexes et d'amitié entre tous les peuples et groupes ethniques, nationaux et religieux, et avec les personnes d'origine autochtone."

CONVENTION INTERNATIONALE RELATIVE AUX DROITS DE L'ENFANT, ARTICLE 29.
Convention adoptée par l'Assemblée générale des Nations unies (ONU), le 20 novembre 1989.

L'instituteur d'une ville italienne devrait aider ses enfants italiens à comprendre pourquoi d'autres enfants prient un dieu différent, ou jouent une musique qui ne ressemble pas au rock. Bien entendu, un éducateur chinois doit faire de même avec des enfants chinois qui vivent près d'une communauté chrétienne. Le pas suivant consistera à montrer qu'il y a quelque chose de commun entre notre musique et la leur, et que même leur Dieu recommande quelques choses bonnes.**

UMBERTO ECO (né en 1932)
Écrivain et sémiologue italien.

Nous

[…]

sommes appelés à nous présenter comme
des sentinelles de la paix,
dans les lieux où nous vivons et où nous travaillons.

C'est-à-dire qu'il nous est demandé de veiller,
afin que les consciences ne cèdent pas
à la tentation de l'égoïsme, du mensonge et de la violence."

PAPE JEAN PAUL II (né en 1920)
Homme d'Église d'origine polonaise qui fut élu pape en 1978.

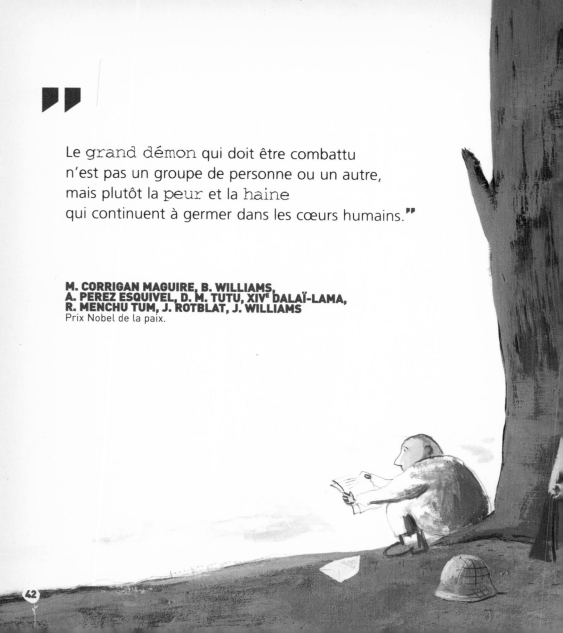

"

Le grand démon qui doit être combattu
n'est pas un groupe de personne ou un autre,
mais plutôt la peur et la haine
qui continuent à germer dans les cœurs humains."

**M. CORRIGAN MAGUIRE, B. WILLIAMS,
A. PEREZ ESQUIVEL, D. M. TUTU, XIVᵉ DALAÏ-LAMA,
R. MENCHU TUM, J. ROTBLAT, J. WILLIAMS**
Prix Nobel de la paix.

42

"

JEUDI 28 JANVIER 1915

HIER, OU AVANT-HIER, AU RAPPORT
ON A LU DES LETTRES DE PRISONNIERS BOCHES.
POURQUOI ?
JE N'EN SAIS RIEN, CAR ELLES SONT LES MÊMES
QUE LES NÔTRES. LA MISÈRE,
LE DÉSESPOIR DE LA PAIX,
LA MONSTRUEUSE STUPIDITÉ DE TOUTES CES CHOSES,
CES MALHEUREUX SONT COMME NOUS, LES BOCHES !
ILS SONT COMME NOUS ET LE MALHEUR
EST PAREIL POUR TOUS. **"**

PAROLES DE POILUS
Lettre du front 1914-1918.

43

Seigneur, fais de moi un instrument de ta paix,
Là où est la haine, que je mette l'amour.
Là où est l'offense, que je mette le pardon.
Là où est la discorde, que je mette l'union.
Là où est l'erreur, que je mette la vérité.
Là où est le doute, que je mette la foi.

SAINT FRANÇOIS D'ASSISE (1180-1226)
Religieux catholique italien, fondateur de l'ordre franciscain,
considéré comme saint par l'Église catholique romaine.

Ave Maria
Où étais-tu cachée ?
Ne sais-tu pas que nous avons besoin de toi ?

Les choses vont mal ici-bas.

Je sais que tu entends les combats,
Que tu vois la torche que nous allumons
Dans notre quête pour la paix et la liberté.

Aide-nous à y parvenir.

NOA (née en 1969)
Chanteuse israélienne. Son vrai nom,
Achinoam Nini, signifie « sœur de la paix » en hébreux.

45

QU'ELLES SOIENT DÉFENSIVES, OFFENSIVES, CIVILES, POUR LA PAIX, LE DROIT POUR LA LIBERTÉ, TOUTES LES GUERRES SONT INUTILES. LA SUCCESSION DES GUERRES DANS L'HISTOIRE PROUVE BIEN QU'ELLES N'ONT JAMAIS CONCLU PUISQU'IL A TOUJOURS FALLU RECOMMENCER LES GUERRES."

JEAN GIONO (1895-1970)
Écrivain français.

La guerre ne profite qu'à la guerre.

LOUIS ARAGON (1897-1982)
Poète et romancier français.

47

LECH WALESA (né en 1943)
Leader du syndicat autonome Solidarnosc et prix Nobel de la paix 1983.
Président de la Pologne de 1990 à 1995.

LES GUERRES PRENANT NAISSANCE DANS L'ESPRIT DES HOMMES, C'EST DANS L'ESPRIT DES HOMMES QUE DOIVENT ÊTRE ELEVEES LES DÉFENSES DE LA PAIX."

CONSTITUTION DE L'UNESCO
Organisation des Nations unies pour l'éducation, la science et la culture, créée en 1945.

Nous désirons la paix – et c'est pourquoi nous n'avons jamais eu recours à la force physique. Nous aspirons à la justice – et c'est pourquoi nous sommes si tenaces dans la défense de nos droits. Nous recherchons la liberté de convictions – et c'est pourquoi nous n'avons jamais tenté d'asservir la conscience de l'homme, et ne le tenterons jamais.

Espoir…

Je suis désolé,
mais je ne veux pas être empereur, ce n'est pas mon affaire.

Je ne veux ni conquérir, ni diriger personne.
Je voudrais aider tout le monde dans la mesure du possible,
juifs, chrétiens, païens, blancs et noirs.

Nous voudrions tous nous aider si nous le pouvions,
les êtres humains sont ainsi faits.

Nous voulons donner le bonheur à notre prochain,
pas lui donner le malheur."

CHARLIE CHAPLIN (1889-1977)
Acteur et réalisateur américain, créateur dans le cinéma muet
du personnage de « Charlot ».

Seigneur, Tu sais que je ne m'occupe pas d'armes.
Mon Seigneur, là où il y a la paix, les gens peuvent s'aimer
comme Tu nous aimes. Donne-nous la paix, ô Seigneur,
et fais que les armes soient inutiles dans ce monde merveilleux."

MÈRE TERESA (1910-1997)
Religieuse indienne d'origine albanaise, fondatrice des Missionnaires de la charité.
Prix Nobel de la paix 1979.

Si j'avais des rubis, des richesses et des couronnes
J'achèterais le monde entier et je changerais toutes les choses
Je jetterais à la mer tous les fusils et tous les chars d'assaut
Car ce sont les erreurs d'une histoire passée."

BOB DYLAN (né en 1941)
Auteur américain, compositeur et interprète de chansons.

> Nous avons appris à voler
> dans les airs comme des
> oiseaux et à nager dans la mer
> comme des poissons,
> mais nous n'avons pas appris
> l'art simple de vivre ensemble
> comme des frères.

MARTIN LUTHER KING (1929-1968)
Pasteur noir américain qui s'opposa à toute forme de ségrégation raciale. Il s'éleva contre la guerre du Vietnam et fut assassiné le 4 avril 1968.

54

> Je ne veux condamner
> ni mes portes ni mes fenêtres.
> Je veux que les cultures
> du monde entier puissent
> circuler librement
> dans ma maison.

MAHATMA GANDHI (1869-1948)
Philosophe et homme politique indien,
grand défenseur de la non-violence
et de l'égalité des droits.
Il fut assassiné le 30 janvier 1948.

Nous ne ferons plus le monde, mais au moins pouvons-nous veiller à ce qu'il ne se défasse point…"

BERNARD-HENRI LÉVY (né en 1948)
Philosophe français qui s'investit dans l'humanitaire et la culture.

Qu'au lieu de mettre en joue quelque vague ennemi
Mieux vaut attendre un peu qu'on le change en ami
Mieux vaut tourner sept fois sa crosse dans la main
Mieux vaut toujours remettre une salve à demain."

GEORGES BRASSENS (1921-1981)
Auteur français, compositeur et interprète de chansons.

Pour faire [la paix], il faut relever ses manches et s'atteler à la besogne. La désirer simplement, dans l'abstrait, n'est pas suffisant."

SHIMON PERES (né en 1923)
Homme politique israëlien. Prix Nobel de la paix 1994 avec Yasser Arafat et Ytzhak Rabin.

Chacun d'entre nous a la responsabilité de faire en sorte que l'on fasse plus que nous ne faisons déjà."

JAMES ORBINSKI
Président du Conseil international de Médecins sans frontières, association qui reçut le prix Nobel de la paix en 1999.

> Supposez que les peuples d'Europe, au lieu de se défier
> les uns des autres, de se jalouser, de se haïr, se fussent aimés ;
> supposez qu'ils se fussent dit qu'avant même d'être Français
> ou Anglais ou Allemand, on est homme, et que, si les nations
> sont des patries, l'humanité est une famille.

VICTOR HUGO (1802-1885)
Écrivain français, élu à l'Académie française en 1841 et élu sénateur en 1876.

Tant que la couleur de la peau d'un homme
aura plus de signification que celle de ses yeux
[…] nous ne connaîtrons pas la paix.**

HAILÉ SÉLASSIÉ IER (1892-1975)
Empereur d'Éthiopie de 1930 à 1974.

TENZIN GYATSO, XIVE DALAÏ-LAMA (né en 1935)
Le dalaï-lama est le plus haut chef spirituel
du bouddhisme tibétain. Dalaï-lama est un titre
mongol qui veut dire « océan de sagesse ».

" Nous avons besoin de cultiver une responsabilité universelle, les uns envers les autres, et la planète que nous partageons. "

63

Il y a des mots pour les amis : « bonjour, bonne année, soyez heureux », des mots beaux et bons pour toutes sortes de personnes. Le mot le plus méchant de toute la terre est un mot que je déteste : « la guerre ».
On trouvera bien de la gomme en quantité suffisante pour l'effacer sans pitié.**

GIANNI RODARI (1920-1980)
Romancier, journaliste et enseignant italien, il est l'auteur de livres-fables pour enfants.

Pourquoi l'homme fait-il la chasse à son voisin ?
Je suis vraiment bien las de vos horribles guerres.
Vos prières, vos vœux mêmes sont des forfaits !
Le péril est pour vous dans vos humeurs contraires,
Et c'est dans l'union qu'est votre force. En frères
Vivez donc, et sachez vous maintenir en paix."

CHARLES BAUDELAIRE (1821-1867)
Poète français.

Pour faire la paix, il faut être deux : **soi-même**

et le voisin d'en face."

ARISTIDE BRIAND (1862-1932)
Homme de loi et journaliste français,
surnommé le « l'Apôtre de la paix ».

… Nous n'avons pas besoin de la guerre pour trouver la chaleur
des épaules voisines dans une course vers le même but.
La guerre nous trompe.
La haine n'ajoute rien à l'exaltation de la course."

ANTOINE DE SAINT-EXUPÉRY (1900-1944)
Pilote, homme de lettres et penseur français.

On devient solidaire des opprimés uniquement
lorsque notre geste cesse d'être un geste sentimental…
et devient un acte d'amour.
La véritable solidarité ne naît que dans la plénitude
de cet acte d'amour.**"**

PAULO FREIRE (1921-1997)
Pédagogue et humaniste brésilien. Prix de la paix de l'Unesco 1986.

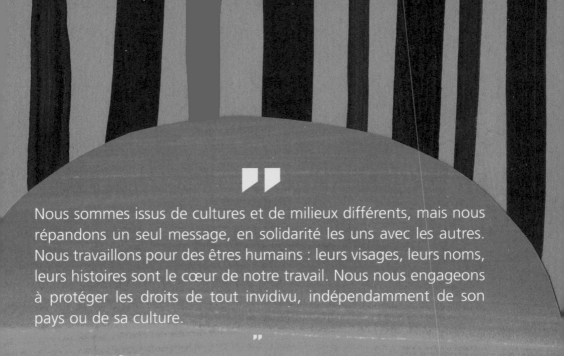

"

Nous sommes issus de cultures et de milieux différents, mais nous répandons un seul message, en solidarité les uns avec les autres. Nous travaillons pour des êtres humains : leurs visages, leurs noms, leurs histoires sont le cœur de notre travail. Nous nous engageons à protéger les droits de tout invidivu, indépendamment de son pays ou de sa culture.

"

AMNESTY INTERNATIONAL
Organisation internationale de défense des Droits de l'homme, fondée en 1961. Prix Nobel de la paix 1977.

Il n'y a jamais eu de bonne guerre ni de mauvaise paix.

BENJAMIN FRANKLIN (1706-1790)
Homme de sciences et de lettres, grand inventeur et premier ambassadeur des États-Unis d'Amérique en France. Il lutta activement pour l'indépendance américaine.

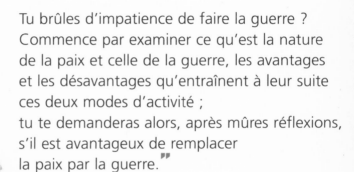

Tu brûles d'impatience de faire la guerre ?
Commence par examiner ce qu'est la nature
de la paix et celle de la guerre, les avantages
et les désavantages qu'entraînent à leur suite
ces deux modes d'activité ;
tu te demanderas alors, après mûres réflexions,
s'il est avantageux de remplacer
la paix par la guerre.

ÉRASME (1469-1536)
Humaniste hollandais. Penseur et écrivain,
il passa sa vie à voyager et à écrire.

La paix fait la liberté.
La paix fait des miracles.

La guerre change notre vie tranquille.
La guerre abîme notre Terre.

" WILLIAM, MORGANE, PAULINE

La paix, c'est merveilleux
La paix c'est un cadeau qui vient du ciel.
La guerre un cadeau de l'enfer
Alors prenez la paix et mangez-la
Mais ne la recrachez pas.

On saura jamais c'qu'on a vraiment dans nos ventres
Caché derrière nos apparences
L'âme d'un brave ou d'un complice ou d'un bourreau ?
Ou le pire ou le plus beau ?
Serions-nous de ceux qui résistent ou bien les moutons d'un troupeau
S'il fallait plus que des mots ?

JEAN-JACQUES GOLDMAN (né en 1951)
Auteur français, compositeur et interprète de chansons.

Être pacifiste […]
C'est avoir toujours présent à l'esprit l'immense contenu du mot « paix » et tout ce qu'il signifie de non-souffrance, de non-détresse, de non-désolation.

JEAN ROSTAND (1894-1977)
Moraliste, historien des sciences de la vie, biologiste, pacifiste, humaniste et président d'honneur de la Libre Pensée.

Mais après vents et tempêtes
Lorsque chantera la paix
Sur la terre
Pesamment comme une bête
Je viendrai soigner mes plaies

[…] **CHARLES AZNAVOUR** (né en 1924)
Chanteur et acteur français d'origine arménienn

Ils renaîtront les jours heureux
Les soleils verts de notre vie
Ils reviendront semer l'oubli
Après le feu…"

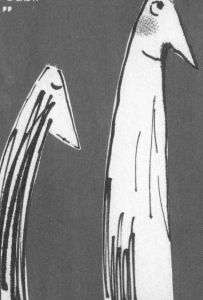

76

 Je dis la paix pâle et soudaine

Comme un bonheur longtemps rêvé

Comme un bonheur qu'on croit à peine

Avoir trouvé. "

LOUIS ARAGON (1897-1982)
Poète et romancier français.

77

Imagine tous les gens, vivant en paix.

Imagine tous les gens, partageant le monde.

JOHN LENNON (1940-1980)
Auteur, compositeur, chanteur, guitariste et pianiste.
Leader du groupe musical anglais *The Beatles*.

78

Ne dites pas « un jour viendra »,
faites que ce jour vienne,
car ce n'est pas un rêve.
Et sur toutes les places,
saluez la paix,
c'est pour cela qu'il faut chanter.

YTZHAK RABIN (1922-1995)
entonna ce chant le jour de son assassinat.
Homme politique israëlien. Prix Nobel de la paix 1994
avec Yasser Arafat et Shimon Peres.
Il fut assassiné le 4 novembre 1995.

79

Sache enfin que chaque visage est un miracle.
Il est unique. Tu ne rencontreras jamais deux visages
absolument identiques. Qu'importe la beauté ou la laideur.
Ce sont des choses relatives. Chaque visage est le symbole
de la vie. Toute vie mérite le respect. Personne n'a le droit
d'humilier une autre personne. Chacun a droit à sa dignité.
En respectant un être, on rend hommage, à travers lui,
à la vie, dans tout ce qu'elle a de beau, de merveilleux,
de différent et d'inattendu. On témoigne du respect
pour soi-même en traitant les autres dignement."

TAHAR BEN JELLOUN (né en 1944)
Écrivain et poète marocain de langue française.

LES SOURCES

PAGES 10-11
**DÉCLARATION UNIVERSELLE
DES DROITS DE L'HOMME** (Article 1),
proclamation de l'Assemblée générale
des Nations unies du 10 décembre 1948.

PAGE 12
JUAN SOMAVIA,
If you desire peace, cultivate justice,
7 mai 2002, © 2004 Éditions Flammarion
pour la traduction française.

PAGE 13
DWIGHT D. EISENHOWER,
« Mes années à la Maison-Blanche
1956/1961 », *Batailles pour la paix*,
Édition de Trévise, 1968.

PAGE 14
TENZIN GYATSO (XIVᴱ DALAÏ-LAMA),
My Land and My People,
Potala Corporation, 1977,
© 2004 Éditions Flammarion
pour la traduction française.

PAGE 15
THOMAS JEFFERSON,
La Liberté et l'État (chapitre VI),
Éditions Seghers,1970.

PAGE 16
ROMAIN ROLLAND,
*Textes politiques, sociaux
et philosophiques choisis*, déclaration
lue à la première séance du Congrès
mondial de tous les partis contre
la guerre, Éditions sociales, 1970.

PAGE 17
ALBERT CAMUS,
Actuelles, Chroniques 1944-1948,
Éditions Gallimard, 1950.

PAGE 18
HÉRODOTE,
Histoires, I, 87, traduction de Legrand,
Les Belles Lettres, 1932.

PAGE 19
LÉON TOLSTOÏ,
Guerre et paix, 1869.
© 2004 Éditions Flammarion pour
la traduction française.

PAGE 20
BORIS VIAN (paroles), Boris Vian et
Harold Berg (musique), *Le déserteur*,
Éditions Musicales DJANIK, pour la France
et le Bénélux.

PAGE 22
PAPE JEAN PAUL II,
message pour la célébration
de la 23ᵉ journée mondiale de la paix,
1ᵉʳ janvier 2000.

PAGE 23
LAO-TSEU,
Tao-tö King, XXXI, traduit du chinois par
Liou Kia-hway, Éditions Gallimard, 1967.

PAGE 24
NELSON MANDELA,
*Nelson Mandela speaks : forging a
democratic nonracial South Africa*,
sous la direction de Steve Clark,
Pathfinder, 1993, © 2004 Éditions
Flammarion pour la traduction française.

PAGE 25
PAPE JEAN XXIII,
Pacem in terris, lettre encyclique,
11 avril 1963.

PAGE 26
JEAN JAURÈS,
La guerre franco-allemande 1870-1871,
Éditions Flammarion, 1971.

PAGE 27
Manifeste 2000 pour une culture
de la paix et de la non-violence, rédigé
par un groupe de **PRIX NOBEL
DE LA PAIX**.

PAGE 28
UMBERTO ECO,
Riflessioni sulla Pace e sulla Guerra,
rapport prononcé au Palazzo dei
Giureconsulti, à Milan, le 25 février 2002,
© 2004 Éditions Flammarion pour
la traduction française par Anna Buresi.

PAGE 29
JOHN FITZGERALD KENNEDY,
Sia della Pace, Arnoldo Mondadori
Editore, 1960, © 2004 Éditions
Flammarion pour la traduction française
par Anna Buresi.

PAGES 30-31
Message du secrétaire général
KOFI A. ANNAN à l'occasion
du lancement de l'année internationale
de la culture de la paix, à Paris,
le 14 septembre 1999.

PAGE 32
ALBERT EINSTEIN,
parlant de la Déclaration pacifiste écrite
par Bertrand Russell et sept prix Nobel
de la paix, 1955, © 2004 Éditions
Flammarion pour la traduction française
par Anna Buresi.

PAGE 33
FRANÇOISE GILOT ET PABLO PICASSO,
catalogue de l'exposition *La Guerre
et la Paix*, publication de la RMN, 1998.

PAGE 34
ALBERT SCHWEITZER,
*Harald Schützeichel, Die
Konzerttätigkeit Albert Schweitzers*,
Haupt, 1991, © 2004 Éditions
Flammarion pour la traduction française
par Anna Buresi.

PAGE 35
ANNE FRANK,
Journal (extrait du 15 juillet 1944),
Calmann-Lévy, 1992, 2001, pour la
traduction française par Philippe Noble
et Isabelle Rosselin-Bobulesco.

PAGE 36
ABBÉ PIERRE.

PAGE 37
« La deuxième vie de **JIMMY CARTER** »,
Le Figaro, 12 octobre 2002.

PAGE 38
**CONVENTION INTERNATIONALE
RELATIVE AUX DROITS DE L'ENFANT**
(Article 29), adoptée par l'Assemblée
générale des Nations unies (ONU)
le 20 novembre 1989.

PAGE 39
UMBERTO ECO,
dans *La Repubblica* du 5 octobre 2001,
© 2004 Éditions Flammarion pour la
traduction française par Anna Buresi.

PAGE 41
PAPE JEAN PAUL II,
Angelus domenicale, Rome,
23 février 2003.

PAGE 42
APPEL DE HUIT PRIX NOBEL DE LA PAIX,
La vie humaine est sacrée, octobre 2001.

PAGE 43
*Paroles de poilus (lettres et carnets
du front 1914-1918)*, Lettre 28
d'**ÉTIENNE TANTY**, J.-P. Gueno,
Y. Laplume, coédition Librio-Radio France.

PAGE 44
Prière de **SAINT FRANÇOIS D'ASSISE**.

PAGE 45
NOA
(paroles et musique), « Ave Maria »,
Noa, Polygram Music Publ. B. V. / More
Publishing B. P. L. Ltd. Avec l'aimable
autorisation d'Universal Music Publ. SAS.

PAGE 46
JEAN GIONO,
*Lettre aux paysans sur la pauvreté
et la paix*, éditions Butte aux cailles, 1983.

PAGE 47
LOUIS ARAGON,
Chroniques 1918-1932, Éditions Stock,
1998.

PAGE 48
CONSTITUTION DE L'UNESCO (Article 1),
Londres, 16 novembre 1945.

PAGE 49
LECH WALESA,
« Acceptance Speech pour le prix Nobel
de la paix », *Nobel Lectures, Peace
1981-1990*, Irvin Abrams, World Scientific
Publishing Co.,1997, © 2004 Éditions
Flammarion pour la traduction française
par Anna Buresi.

PAGE 50
Discours final du film *Le Dictateur (The
Great dictator)*, de **CHARLIE CHAPLIN**,
Roy export company establishment.

PAGE 53
MÈRE TERESA DE CALCUTTA,
Dacci la Pace, © 2004 Éditions
Flammarion pour la traduction française
par Anna Buresi.

PAGE 53
BOB DYLAN,
« Let me die in my footsteps »,
The Bootleg Series, vol. 1,
copyright special rider music.

PAGE 54
MARTIN LUTHER KING,
« L'homme insensé », *La force d'aimer*,
Société des Auxiliaires des Missions
(S.A.M.), Bruxelles.

PAGE 55
MAHATMA GANDHI,
Thus Spoke Gandhi, R.K.C. Publisher,
1986, © 2004 Éditions Flammarion
pour la traduction française.

PAGE 56
BERNARD-HENRI LÉVY,
La barbarie à visage humain,
Éditions Grasset, 1977.

PAGE 57
GEORGES BRASSENS
(paroles et musique),
« Les deux oncles »,
Éditions musicales 57.

PAGE 59
SHIMON PERES,
Combat pour la paix, Librairie Arthème Fayard, 1995, pour la traduction française.

PAGE 59
JAMES ORBINSKI,
discours pour le prix Nobel de la paix, 17 octobre 1999, © 2004 Éditions Flammarion pour la traduction française par Anna Buresi.

PAGE 60
VICTOR HUGO,
discours sur la paix prononcé au Congrès de la Paix, le 21 août 1849.

PAGE 62
HAILÉ SÉLASSIÉ IER,
discours prononcé à l'Assemblée générale de l'ONU, à New York, le 6 octobre 1963.

PAGE 63
TENZIN GYATSO (XIVE DALAÏ-LAMA),
Acceptance speech pour le prix Nobel de la paix, décembre 1989,
© 2004 Éditions Flammarion pour la traduction française par Anna Buresi.

PAGE 64
GIANNI RODARI,
« Filastrocca delle parole », *Filastrocche lunghe e corte*, Editori Riuniti,
© 2004 Éditions Flammarion pour la traduction française par Anna Buresi.

PAGE 65
CHARLES BAUDELAIRE,
« Le calumet de la paix », « Intruses », *Les fleurs du mal*, Le Livre de poche, 1972.

PAGES 66-67
ARISTIDE BRIAND,
Paroles de paix, Éditions Figuière, 1928.

PAGE 67
ANTOINE DE SAINT-EXUPÉRY,
Terre des hommes, Éditions Gallimard, 1939.

PAGE 68
PAULO FREIRE,
La pedagogia degli oppressi, Mondadori, 1980, © 2004 Éditions Flammarion pour la traduction française par Anna Buresi.

PAGE 69
AMNESTY INTERNATIONAL,
Mandato, Londres, 1961,
© 2004 Éditions Flammarion, pour la traduction française par Anna Buresi.

PAGE 70
BENJAMIN FRANKLIN,
Letter to Quincey, 11 septembre 1783.

PAGE 71
ÉRASME,
Érasme - Éloge de la folie,
Éditions Robert Laffont, 1992.

PAGE 72
Poème d'enfants pour la paix,
de **WILLIAM, MORGANE ET PAULINE**
(sur le site Internet www.buddhaline.net).

PAGE 74
JEAN-JACQUES GOLDMAN,
(paroles et musique),
Né en 17 à Leidenstadt, JRG, 1990.

PAGE 75
JEAN ROSTAND,
discours aux Assises de la Paix,
21 avril 1968.

PAGE 76
CHARLES AZNAVOUR,
(paroles et musique), *Les jours heureux*,
Éditions Musicales DJANIK.

PAGE 77
LOUIS ARAGON,
« Je dis la paix » (extrait du « Chant
de la paix »), *Les yeux et la mémoire*,
Éditions Gallimard, 1954.

PAGE 78
JOHN LENNON,
Imagine, Lenono Music, New York.

PAGE 79
YTZHAK RABIN,
entonna ce *Chant pour la paix*
de Jacob Rothblit le 4 novembre 1995,
quelques minutes avant d'être assassiné.

PAGE 80
TAHAR BEN JELLOUN,
Le racisme expliqué à ma fille,
Éditions du Seuil, 1998.

POUR ALLER PLUS LOIN

Quelques associations et organisations qui défendent la paix, la solidarité internationale et l'égalité des droits.

AMNESTY INTERNATIONAL
76, bd de la Villette, 75949 Paris Cedex 19
01 53 38 65 65 / www.amnesty.asso.fr
Droits de l'homme

ARTISANS DU MONDE
84, rue Claude Bernard, 75005 Paris
01 47 07 55 95 / www.artisansdumonde.org
Commerce équitable • droits de l'homme au travail

ASSOCIATION MONDIALE POUR L'ÉCOLE INSTRUMENT DE PAIX (EIP)
www.eip-cifedhop.org
Éducation aux droits de l'homme et à la paix

FONDATION ABBÉ PIERRE POUR LE LOGEMENT DES DÉFAVORISÉS
78, rue Réunion, 75020 Paris
01 44 64 04 40 / www.fondation-abbe-pierre.fr
Logement • action culturelle • solidarité internationale

FONDS DES NATIONS UNIES POUR L'ENFANCE (UNICEF)
3, rue Duguay Trouin, 75006 Paris
01 44 39 77 77 / www.unicef.asso.fr
Santé • éducation • protection des enfants

LIGUE DE DROITS DE L'HOMME (LDH)
138, rue Marcadet, 75018 Paris
01 56 55 51 00 / www.ldh-France.org
Droits de l'homme

MÉDECINS SANS FRONTIÈRES (MSF)
8, rue Saint Sabin, 75011 Paris
01 40 21 29 29 / www.msf.fr
Aide médicale • aide logistique aux populations en danger

MOUVEMENT CONTRE LE RACISME ET POUR L'AMITIÉ ENTRE LES PEUPLES (MRAP)
43, bd Magenta, 75010 Paris
01 53 38 99 99 / www.mrap.asso.fr
Développement économique et social • droits des minorités

MOUVEMENT POUR UNE ALTERNATIVE NON-VIOLENTE (MAN)
114, rue de Vaugirard, 75006 Paris
01 45 44 48 25 / manco.free.fr
Non-violence

ORGANISATION DES NATIONS UNIES (ONU)
www.un.org
Coopération internationale • sécurité collective

REPORTERS SANS FRONTIÈRES (RSF)
5, rue Geoffroy Marie, 75009 Paris
01 44 83 84 84 / www.rsf.org
Liberté de la presse

SOS RACISME
51, av. Flandre, 75019 Paris
01 40 35 36 55 / www.sos-racisme.org
Égalité des droits • métissage

LES ILLUSTRATEURS

RONAN BADEL

est né en 1972 dans le Morbihan. Formé aux Arts Décoratifs de Strasbourg, il s'installe à Paris et édite son premier album en 1998.
Aujourd'hui, il vit entre la Bretagne et Paris où il enseigne le dessin dans une école d'art.

FRÉDÉRIC BÉNAGLIA

est né en 1974. Après un passage à l'École Estienne, il devient directeur artistique dans une agence de communication puis chez Bayard Presse. En 1997, il fait ses premiers pas dans l'illustration. Il travaille aujourd'hui pour la presse, publie de nombreux livres pour la jeunesse et fait partie du collectif "Les dents de la poule".

OLIVIER TALLEC

est né en Bretagne en 1970. Il vit aujourd'hui à Paris. Après des études d'Arts plastiques, il entre à l'école des Arts Appliqués Duperré à Paris. Dès 1997, Olivier est amené à travailler pour l'édition jeunesse, qu'il n'a pas quittée depuis. Il signe également de nombreux dessins pour la presse (*Libération, Elle*...).

CITATIONS ILLUSTRÉES PAR

RONAN BADEL, pages 12-13, 18-19, 24-25, 30-31, 36-37, 42-43, 48-49, 54-55, 60-61, 66-67, 74-75, 80-81

FRÉDÉRIC BÉNAGLIA, pages 14-15, 20-21, 26-27, 32-33, 38-39, 44-45, 51, 56-57, 62-63, 68-69, 72-73, 76-77

OLIVIER TALLEC, pages 10-11, 16-17, 22-23, 28-29, 34-35, 40-41, 46-47, 52-53, 58-59, 64-65, 70-71, 78-79

Imprimé en France par P.P.O. Graphic, 93500 Pantin, France – 09-2004
Dépôt légal : octobre 2004
Éditions Flammarion (N°2595), Paris, France
Loi n°49-956 du 16 juillet 1949 sur les publications destinées à la jeunesse

Camus Hérodote Léon Tolstoï Boris Vian Pape Jean Paul II Lao-Tseu Nelson Man
Jean XXIII Jean Jaurès Umberto Eco John Fitzgerald Kennedy Kofi A. Annan A
stein Pablo Picasso Albert Schweitzer Anne Frank Abbé Pierre Jimmy Carter Saint Fra
Assise Noa Jean Giono Louis Aragon Lech Walesa Charlie Chaplin Mère Teresa M
her King Mahatma Gandhi Bernard-Henri Lévy Georges Brassens Shimon Peres J
inski Victor Hugo Hailé Sélassié Ier Gianni Rodari Charles Baudelaire Aristide B
toine de Saint-Exupéry Paulo Freire Benjamin Franklin Érasme Jean-Jacques Goldman
stand Charles Aznavour Louis Aragon Ytzhak Rabin John Lennon Tahar Ben Jelloun
mavia Dwight D. Eisenhower XIVe Dalaï Lama Thomas Jefferson Romain Rolland A
mus Hérodote Léon Tolstoï Boris Vian Pape Jean Paul II Lao-Tseu Nelson Mandela
n XXIII Jean Jaurès Umberto Eco John Fitzgerald Kennedy Kofi A. Annan Albert Ein
blo Picasso Albert Schweitzer Anne Frank Abbé Pierre Jimmy Carter Saint François d'
a Jean Giono Louis Aragon Lech Walesa Charlie Chaplin Mère Teresa Martin Luther
hatma Gandhi Bernard-Henri Lévy Georges Brassens Shimon Peres James Orbinski
go Hailé Sélassié Ier Gianni Rodari Charles Baudelaire Aristide Briand Antoine de
péry Paulo Freire Benjamin Franklin Érasme Jean-Jacques Goldman Jean Rostand C
navour Louis Aragon Ytzhak Rabin John Lennon Tahar Ben Jelloun Juan Somavia D
Eisenhower XIVe Dalaï Lama Thomas Jefferson Romain Rolland Albert Camus Hér
on Tolstoï Boris Vian Pape Jean Paul II Lao-Tseu Nelson Mandela Pape Jean XXIII Jean
berto Eco John Fitzgerald Kennedy Kofi A. Annan Albert Einstein Pablo Picasso
weitzer Anne Frank Abbé Pierre Jimmy Carter Saint François d'Assise Noa Jean
uis Aragon Lech Walesa Charlie Chaplin Mère Teresa Martin Luther King Mahatma G
rnard-Henri Lévy Georges Brassens Shimon Peres James Orbinski Victor Hugo
assié Ier Gianni Rodari Charles Baudelaire Aristide Briand Antoine de Saint-Exupéry
ire Benjamin Franklin Érasme Jean-Jacques Goldman Jean Rostand Charles Az
uis Aragon Ytzhak Rabin John Lennon Tahar Ben Jelloun Juan Somavia Dwi
enhower XIVe Dalaï Lama Thomas Jefferson Romain Rolland Albert Camus Hérodot
stoï Boris Vian Pape Jean Paul II Lao-Tseu Nelson Mandela Pape Jean XXIII Jean
berto Eco John Fitzgerald Kennedy Kofi A. Annan Albert Einstein Pablo Picasso
weitzer Anne Frank Abbé Pierre Jimmy Carter Saint François d'Assise Noa Jean